Uta Kögelsberger

C000097570

photoNORTH publishing

FOREWORD

'The following night, an hour before the blue sunrise, we witnessed another effect: the ocean was becoming phosphorescent. Pools of grey light were rising and falling to the rhythm of invisible waves. Isolated at first, these grey patches quickly spread and joined together, and soon made up a carpet of spectral light extending as far as the eye could see.' *Solaris*, Stanislaw Lem, Faber and Faber, p.190

This publication presents a body of work that I have been developing over the past four years in the north of England and of America. It explores the shifts of perception we experience in darkness. What is it that makes our experience of the night so different from that of the day? When we are deprived of visual information our brain starts to compensate for what the eye can't see, and we begin to occupy an internal, subjective and constructed reality. This intensified space has become the subject matter of my work.

When I began work on this publication I was fortunate to encounter the writing of Jean-Paul Curnier. The basis for his essay was a series of conversations in which we discussed the text as much as the work itself. It became clear that the writing needed to complement the photographs rather than describing them. I would like to thank Jean-Paul Curnier for his philosophical observations. They are discrete meditations that need not be read in any specific order. In this sense the text too is a series of portraits that have neither beginning nor end.

Uta Kögelsberger

'La nuit suivante, une heure avant le lever du soleil bleu, nous assistâmes à un autre phénomène: l'océan devenait phosphorescent. Des taches de lumière grise se balançaient au rythme des vagues invisibles. Ces taches, d'abord isolées, s'étalaient rapidement, se rejoignaient; et bientôt un tapis de lumière spectrale se déploya à perte de vue.' Solaris, Stanislas Lem, Editions Denoël, pp.286

Ce livre est le recueil d'une série de travaux que j'ai réalisés au nord de l'Amérique et de l'Angleterre, au cours d'une période de quatre ans. Il explore le changement de notre perception de la réalité dans l'obscurité. Qu'est ce qui rend l'expérience de la nuit tellement différente de celle du jour? Est-ce le fait que, lorsqu'on est privé d'information visuelle, le cerveau se met à remplacer ce que l'oeil ne peut percevoir par une réalité autre; interne, subjective, construite? Cet espace intensifié est devenu le sujet même de mon travail.

Je suis très contente d'être tombée sur les textes de Jean-Paul Curnier lorsque j'ai commencé à travailler sur cette publication. Les écrits rassemblés dans ce receuil sont le fruit d'une série d'entretiens, au cours desquels nous avons discuté aussi bien du rôle que le texte devait assumer dans le livre que de mes photographies. Très vite il est devenu clair que le texte devait compléter les images plutôt que de les illustrer. Je voudrais remercier Jean-Paul Curnier pour ses observations philosophiques, des méditations individuelles qui n'ont pas besoin d'être lues dans un ordre chronologique. Ces écrits sont une série de portraits sans début ni de fin.

Uta Kögelsberger

And what we see has no image
Portraits of the night

English translation by Thomas Evans, Alec Finlay and Uta Kögelsberger

Et ce que nous voyons n'a pas d'image
Portraits de la nuit

They are photographs of a time without end. Of never-ending nights. We see the world as an empty stage left to its own devices, a stage from which life has long since withdrawn. Everything here seems petrified or frozen, abandoned. Nothing here suggests sound. The silence is heavy, dense like the colours of the sky, the water and the ground. It is the same still night that spreads from one image to the next, a night without sleep where everything seems at a standstill. Motionless — the beam of a flashlight reveals the still fragments of a stage for a thousand stories past or yet to come. Dust has settled on everything.

Night is the domain of visions, but not of sight. It is the realm where everything visible might be a product of the imagination, a hallucination, an error of perception. At the same time, it is only the visible — in particular the photographic image — that can attest to the night, but on this one strange condition: that the photograph restores the ambivalence between the real and the imagined, that it becomes the image of this ambivalence, the image of the struggle to see. To make a portrait of the night, to bring the experience of it to life, we must represent both the compulsion to see and the anxiety that animates it — the prospect of fear and the promise of comfort.

Ce sont les photographies d'un temps qui ne passe pas. De nuits qui n'en finissent pas. Ce que nous voyons, c'est le décor vide du monde, un décor livré à lui-même et dont toute forme de vie semble s'être retirée depuis déjà longtemps. Tout y semble pétrifié ou gelé, abandonné. Rien de ce qui s'y montre n'inspire le bruit; le silence y est épais, dense comme les teintes du ciel, de l'eau et de la terre. C'est la nuit, une même nuit qui se propage d'une photographie à l'autre, une nuit sans sommeil où tout paraît figé. Aucun mouvement; la lueur d'une puissante torche révèle les fragments inertes d'un décor pour mille histoires passées ou à venir. Sur toute chose, on croit discerner la poussière du temps.

La nuit est le domaine des visions mais pas de la vue; elle est aussi le domaine où tout de ce qui se voit peut être suspecté d'être un produit de l'imagination, une hallucination, une erreur de perception. Pourtant, c'est le visible seul qui peut réellement en rendre compte et, plus encore sans doute, l'image photographique. Mais c'est à une étrange condition: que celle-ci restitue l'ambivalence entre le vrai et le faux, qu'elle soit l'image de cette indistinction, l'image même de l'effort pour voir. Pour faire le portrait de la nuit, pour qu'une image en donne à vivre l'expérience, il faut photographier l'irrépressible tentation de voir et la crainte qui l'anime: entre perspective d'effroi et promesse d'apaisement.

In a sense, we do not see the image. Generally, when we discuss a photograph we speak of what we see in it, of what it shows and the way that it is shown. What it shows—what it signifies or references—is not in the image, at the same time, it is that to which we refer when we are talking about the image, that that we call 'the real' and speak of its 'presence' in the image.

What takes place between us and the image? I suspect that to a large extent what we see is contained not in the image itself but in what we construct from it. Which means that, as far as images are concerned, it is necessary to distinguish between what we see and what is actually visible 'in' the photograph. If what we construe as a manifestation of reality in the image were actually present then it would also be recognisable to cats, dogs, lizards—anything that has eyes to see. However, this is not the case.

Photography, then, is a question of faith. Of faith in the reality of what the image suggests and summons. Just as the ancient Greeks erected statues of deities in sacred places hoping that the gods would find them sufficiently flattering, well made, or accurate enough to incarnate in them, photography seems to treat the real in the same way.

L'image, d'une certaine façon, on ne la voit pas. Lorsque l'on parle d'une image photographique, la plupart du temps, c'est de ce que l'on y voit que l'on parle, de ce qu'elle montre et de la façon de le montrer. Mais ce qu'elle montre, ce vers quoi elle fait signe ou à quoi elle réfère n'est pas sur l'image; or, c'est de cela que l'on parle en croyant parler de l'image, de cela que l'on nomme vite, trop vite sans doute, 'la' réalité, et de sa 'présence' dans l'image.

Qu'est-ce qui se passe entre nous et l'image? J'aurais tendance à penser que dans ce que nous voyons sur une image, la plus grande part n'est pas dans l'image, mais dans ce que nous voyons. Ce qui veut dire qu'en matière d'image, il s'agirait de distinguer ce que nous voyons de ce qui est réellement visible, c'est à dire présent, sur l'image. Si ce que nous percevons comme manifestation de la réalité était effectivement présent sur les images, les images s'imposeraient aussi en tant que telles aux chats, aux chiens, aux lézards et à tout ce qui dispose d'yeux pour voir. Or, il n'en va pas ainsi.

C'est qu'en définitive, la photographie est une affaire de croyance; de croyance en la réalité de ce qu'elle suggère et qu'elle semble appeler. Un peu à la manière des statues de divinités que les anciens grecs édifiaient dans des lieux sacrés, en espérant que les dieux les trouveraient assez ressemblantes, flatteuses ou bien faites pour décider de les prendre pour corps et de les habiter. A bien des égards, la photographie semble procéder de la même façon avec la réalité.

Contrary to what we often think, photography is not capturing the appearance of a moment, rather it is a means of proposing to reality an image of itself, however whimsical, so that it might appear more real to us. Photography is a means of naming reality. However, unlike language, which is a system of metaphors, photography does not displace or transport anything; it does not propose a system of equivalents to the real.

A tree is a tree, and we would not say that there is any formal similarity between the word tree and the tree that is described. On the other hand, the connection between the photographic image of a tree and the tree itself is more apparent than it is complete. Between the object and its photographic image there is no gap. Here there is neither imaginative leap, nor any discontinuity between the object and its representation: it is the exactitude of their resemblance that matters, not the evocative quality of a metaphor.

Photography's spectacular effect is that aspects of reality resemble what the image shows; it is the fact that there actually is a reality at the origin of this mirage that is astounding. It is always fascinating to discover that what we had thought of as a product of the imagination, a digression of our dreams, or a hallucination, does indeed exist.

C'est que photographier n'est pas, comme on le pense souvent, capter un instant d'apparence, c'est plutôt proposer à la réalité une image d'elle, si fantasque soit-elle, pour qu'elle nous paraisse plus réelle. C'est une façon de la nommer. Pourtant, contrairement au langage qui est un système de métaphorisation, la photographie, elle, ne déplace ni ne transporte rien; elle ne propose pas de système d'équivalences au réel.

Un arbre est un arbre et l'on ne peut guère dire qu'entre le mot arbre et la chose qu'il désigne, il y ait quelque relation de ressemblance formelle. Par contre, entre l'image photographique d'un arbre et un arbre, le lien paraît d'autant plus évident que la ressemblance est totale. Entre la chose et son image photographique, il n'y a aucun vide. Ici, il n'y a pas de cheminement ni de détour mental entre la chose et sa repré-sentation, c'est l'exactitude de la ressemblance qui joue, pas la qualité évocatrice de la métaphore.

C'est même qu'il y ait du réel ressem-blant à ce que montre l'image qui cons-titue le principal effet spectaculaire; c'est qu'il y ait bel et bien une réalité qui soit à l'origine de ce mirage qui est stupéfiant. Il est toujours fascinant d'apprendre qu'existe réellement ce que nous tenions jusqu'alors pour une invention de l'esprit, une divagation du rêve ou une hallucination.

None of these photographs can be mistaken for information about this world and that, which exists. The pillbox on the sand, the control tower in the reservoir, the forest forming an island in the darkness, the red hut in the middle of the ice, the two red and white shelters in the snow, the helicopter, the red forest —none of this can be seen purely for what it represents. Everything is allegorical; everything participates in a single evocation. But what is it precisely that is conjured with such insistence, what do these objects portray, what do they suggest? As from the well of time a distant voice says: 'For those who sleep, the night doesn't exist.'

Aucune de ces photographies ne peut être prise pour une information sur le monde et ce qui existe. La tour au dessus du sable, le poste de contrôle dans le réservoir d'eau, le bois formant une île dans le noir, la cabane rouge au milieu des glaces, les deux guérites blanches et rouges dans la neige, l'hélicoptère, la forêt rouge: rien de tout cela ne peut être vu pour ce que c'est. Tout fait allégorie, tout participe d'une même évocation.

Mais qu'est-ce au juste qui est évoqué avec tant d'insistance? De quoi ces attributs sont-ils le portrait ou l'histoire? Comme venue du fond des temps, une voix intérieure et lointaine dit: 'Pour ceux qui dorment, la nuit n'existe pas!'

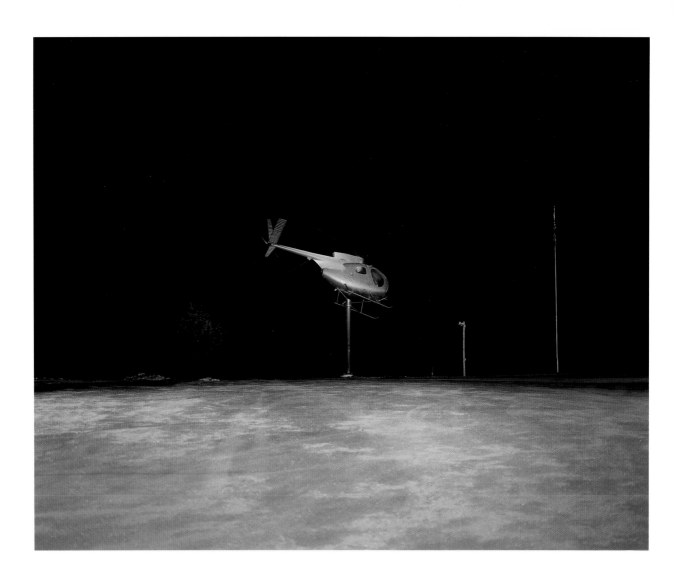

When we look at a photograph it is the collective experience of humanity in its relation to reality that is brought into play. I am looking at this image in which I recognise an expanse of sand and water stretching as far as the horizon and above that a segment of sky that seems to consist of a thick, heavy substance. There is something here of which I can say, 'it is exactly that', without being able to say what precisely 'that' is.

Something within the self responds to this image, just as sometimes something unknown to us replies from within to the calling of its name. It is as if some forgotten or recovered experience of the world beckoned to us from a distance, or a knock was heard through a wall, saying: 'I have received the message, this is it, this is really it!'

And in some way we are the theatre in which these perceptions of existence become embodied, under the guise of the 'all that' which is in question. We are the theatre where the image's calling is performed and from within the self comes the reply: 'this is it'. We become the place wherein the real recognises itself. Images appear whose origins we are no longer sure of, and we find that we see these as if they were the embodiment of what we feel. But no image ever contains what we feel. The image is a scaffold for what we feel and sense; it is a presence that enters our gaze. But what we see in the image has no image itself.

Lorsqu'on regarde une photographie, c'est toute l'expérience collective de l'humanité dans son rapport à la réalité qui semble appelée et mobilisée. Je regarde cette image où je discerne comme un étalement de sable et d'eau jusqu'à l'horizon, et au-dessus un bloc de ciel qui semble fait d'une matière lourde, épaisse. Il y a là quelque chose dont je peux dire que 'c'est tout à fait cela', sans pouvoir dire pour autant ce qu'il en est de ce 'cela'.

Quelque chose semble venir répondre du fond de soi à l'image, comme il nous arrive aussi que, du fond de nous, quelque chose d'à nous-mêmes inconnu réponde à l'évocation de son nom. C'est comme une expérience du monde, oubliée ou recouverte, qui ferait signe de très loin, comme quelques coups frappés derrière une cloison pour nous avertir: 'J'ai reçu le message, c'est cela, c'est bien cela!' Et l'on est soi-même en quelque sorte le théâtre où se forme la mise en présence, la réception sous forme d'évidence de ce 'tout cela' en question. Nous sommes nous-mêmes le théâtre où se joue l'appel par l'image à quelque chose et, comme venant d'un lointain intérieur de soi, quelque chose qui lui répond, qui fait écho et qui dit 'C'est cela!' Et nous voici comme le lieu où le réel vient se reconnaître. Des images apparaissent, dont nous ne sommes plus très sûrs de la provenance. On croit regarder telle ou telle image comme si c'était l'image de ce que l'on éprouve, mais une image ne contient jamais l'image de ce que l'on éprouve. L'image est le support de ce que l'on éprouve et de ce que l'on ressent comme une présence portée au regard. Et ce que nous voyons, là, dans l'image, n'a pas d'image.

For us to see these things as apparitions, they must be recognisable as real elements. What surprises most is that what appears so unreal does in fact exist, and perhaps this is the mysterious fascination that photography exercises.

These images are in equal part menace and placation. But their polarities constantly change: what soothes, becomes threatening and vice-versa. The caravan, the red hut on the ice, the control tower at the centre of a reservoir, the ghostly trees quickly cease to threaten us, because they are too obviously strange. What becomes unsettling is that we are drawn to the strange, that we abandon ourselves to it in spite of ourselves.

Unheimlich: a disquieting estrangement of the familiar. More precisely, a disquiet born from a shift in the gaze that we cast onto something familiar. The master of the unheimlich image is without doubt Alfred Hitchcock. What becomes disquieting in Cary Grant's expression is what a moment ago made it reassuring. It is Hitchcock who directs the imperceptible shift in our gaze. With him, anything that appears harmless is immediately suspect. The real anguish stems from the fact that nothing visible explains our fear. Threat has no form, and the same thing that can reassure can also terrify.

Pour que l'on voie toutes ces choses comme autant d'apparitions, il faut que toutes soient reconnaissables comme éléments réels. Ce qui surprend le plus en fin de compte, c'est que ces choses, à l'apparence si peu réelle, existent réellement, c'est peut-être tout simplement cela le mystère de la fascination que la photographie exerce sur nous autres humains.

Ces images sont un mélange à composantes égales de menace et d'apaisement. Mais les polarités changent sans cesse: ce qui pourrait inquiéter devient apaisant et inversement. La caravane, la cabane rouge au milieu des glaces, le poste de contrôle sur le lac, les arbres fantomatiques n'inquiètent vite plus, car ils sont trop explicitement étranges. Et tout à coup, ce qui inquiète, c'est notre attirance pour l'étrange, notre façon de nous y abandonner comme malgré nous.

Unheimlich: inquiétante étrangeté du familier, pourrait-on dire. Plus précisément: forme d'inquiétude qui naît du changement de regard que nous portons sur ce qui nous est familier. Le plus grand maître de l'unheimlich à l'image? Alfred Hitchcock, sans aucun doute! Ce qui devient inquiétant, subitement, sur le visage de Cary Grant, c'est ce qui jusqu'alors le rendait rassurant. C'est Hitchcock qui pilote la transformation imperceptible de notre regard. Chez lui, ce qui paraît inoffensif est immédiatement suspect. La véritable angoisse vient de ce que rien de ce qui est visible ne vient justifier la peur. La menace n'a pas de forme, ce qui rassure est exactement aussi ce qui peut terrifier.

It is natural that one image should lead to images of other things. An image is designed to make us see beyond its contents. It is its nature to lead us towards things beyond itself.

What is it that makes me so certain that, were I to visit Scotland, I would see things in this way, if it were not that I had seen similar locations in this manner? And what then do 'similar locations' and 'to see in this way,' mean? Isn't this way of seeing primarily a product of lighting technique and use of exposure, resulting in a complete transfiguration of location? We begin to suspect that something else is at stake.

That 'something else' may be this: the locations, the components that figure here, do not matter, they are not intended to be read as realities of place or identity. What we see and think we see is in fact what we don't see. It is invisible. The identity of what is shown disappears before our eyes.

Everything here is designed for the visible and the invisible to become interchangeable. Finally, there is so little information that everything could potentially be anywhere and possibly exists nowhere but within the imagination—but as a reality that can be photographed precisely. And it is here that the impression of vertigo begins.

Il est normal qu'une image fasse immédiatement penser à d'autres images, à d'autres choses encore puisqu' elle-même est faite pour qu'on y voie autre chose que ce qu'elle contient. C'est sa nature même de renvoyer à autre chose que ce qu'elle est.

Qu'est-ce qui me rend si sûr du fait que, si j'allais en Écosse, c'est sans doute aussi de cette façon que verrais les choses, sinon le fait qu'il m'est arrivé bien des fois, dans des lieux similaires, de voir de cette façon? Mais que signifie alors 'lieux similaires' et 'voir de cette façon'? Cette façon de voir n'est-elle pas d'abord le produit d'une technique d'éclairage et de prise de vue aboutissant à une transfiguration complète des lieux? Nous pressentons assez vite qu'il s'agit d'autre chose.

Et cet autre chose ressemble à ceci: les lieux sur l'image, les éléments qui y figurent ne comptent pas, ils sont d'ailleurs faits pour ne pas compter comme réalité locales, identitaires, ils sont mis en évidence pour cela. Ce que l'on voit et croit voir, c'est très exactement ce que l'on ne voit pas, c'est tout l'invisible. Ce qui disparaît sous nos yeux, c'est l'identité de ce qui est montré. Tout est fait en ce sens que le visible et l'invisible s'inversent. Il y a finalement assez peu d'information documentaire pour que tout soit potentiellement n'importe où et si possible nulle part ailleurs que dans l'imagination. Mais comme réalité pouvant être photographiée, précisément. C'est ici que commence l'effet de vertige.

At night the horizon coincides with the limit the light draws. Beyond that there is the unknown. More often than not the horizon is very close. Perhaps this is why these images restore an ancient sense of the world. The one shared by the Greeks, for whom the world stopped short at the emptiness of the sky, like a cliff at the edge of the ocean. Immediately beyond this was the night, the reign of night.

'Ever since we have known that the earth is round, travel has ceased to exist,' wrote Victor Segalen. At the beginning of the twentieth century this proposition already spoke of the irreversible loss of the limitless.

Since then the world has not stopped getting smaller. There are few places left that have not been recorded, photographed, visited or modified for tourism. As we evolve our planet becomes smaller and we increasingly react to the same things, receive the same information, so that particularities disappear and wherever we go always remains the same place. There is little in the world that revives the fears of the past—except, perhaps, the night. The night has assumed an entirely new role: it restores to the world its scale, its vastness, its infinite dimension.

La nuit, l'horizon coïncide avec la limite que dessine la lumière. Au delà, c'est le néant, le chaos, l'inconnu. L'horizon est le plus souvent très proche. C'est sans doute pourquoi ces images ressuscitent en nous la sensation antique du monde. Celle des Grecs pour qui le monde s'arrêtait net sur le vide du ciel comme une falaise sur l'Océan. Après, c'est-à-dire très vite, il y avait la nuit, le Royaume de la Nuit.

'Depuis que l'on sait que la terre est ronde, le voyage a cessé d'exister', a écrit un jour Victor Segalen. Cette phrase disait déjà, au début du vingtième siècle, la perte irréversible de l'infini sur terre.

Depuis lors, le monde n'a pas cessé de rétrécir. Il n'est plus beaucoup de lieux qui n'aient été recensés, photographiés, visités et peut-être aménagés pour le tourisme. Plus ça va, plus notre planète paraît petite, plus on réagit à peu près tous aux mêmes choses. Partout, les informations sont de plus en plus les mêmes pour tous, les particularités s'estompent et, où que l'on aille, cela reste le même endroit. Il n'est plus grand chose du monde qui puisse faire revivre les grands effrois passés; sauf peut-être la nuit. La nuit est sans doute appelée à prendre une importance toute nouvelle: celle de restituer au monde sa grandeur, sa vastitude, sa dimension infinie.

It is strange that when we are moved by a photograph, it is as if something real has been touched inside us. We experience an impression of reality, of recognition, of affirmation, but also a recognition of something we have never seen, and an affirmation of something that we remain ignorant of. In fact, the real strength of photographic suggestion is to make the presence of reality palpable within the image. It is to propose that the real has an image. But we know this is not so. If there is pleasure in the image, it is because we know perfectly well that reality has no image. It is this particular fiction—that an image is the equivalent of reality, and that it seems to contain it—that is the source of our vertigo, and of our losing hold of reality.

Everybody has contemplated their own photographic image, or that of a loved one, while sensing the incongruity that their own, or another's, living reality should appear in this image. What we verify when we look at an image is that the real escapes all form, all image and substance. At the same time, we concede that the illusion of discovering the real in an image is one of the strongest illusions we are attached to. The reality we approach here is that if we believe in photography's capacity to show the real, it is because reality itself relies on faith. Faith in everything beyond what exists. Undoubtedly our impression of reality creates this faith in us.

C'est tout à fait étrange: lorsqu'on est ému devant une photographie, c'est comme si quelque chose de réel avait été touché en nous. Nous ressentons cela comme un effet de vérité, de reconnaissance, d'attestation; mais très étrangement aussi de reconnaissance de quelque chose que nous n'avons jamais vu et d'attestation de quelque chose que nous ignorons. Au fond, la véritable force de suggestion photographique, c'est de faire passer pour évidente la présence du réel dans l'image; c'est de faire croire que le réel a une image. Or, nous savons tous qu'il en va tout autrement. S'il y a jouissance de l'image, c'est bien parce que nous savons parfaitement que le réel n'a pas d'image, et c'est cette fiction-là-lorsqu'une image vient correspondre au réel et semble le contenir-qui est source de vertige et de sensation déroutante de la vérité.

A chacun il est arrivé de contempler sa propre image photographique ou celle d'un proche en ressentant au fond de soi cette incongruité qu'il y a à ce que la réalité vivante de soi ou d'un proche puisse paraître contenue dans une image. Ce que l'on vérifie en regardant une image, c'est que la réalité est ce qui excède toute forme, toute image et toute substance, mais aussi que l'illusion de la trouver contenue dans une image est une des plus fortes à laquelle nous soyons attachés. La vérité que nous frôlons, c'est que si nous croyons en la possibilité pour la photographie de montrer la réalité, c'est parce que c'est la réalité elle-même qui est une croyance, une croyance en ce qui excède tout ce qui est là. Sans doute notre impression du vrai est-elle liée à ce qui suscite en nous cette foi.

There is some black, some white, some contrast and colour, some form. And it happens that without the least effort of will, an analogy is established between the experience of reality and the experience of this photographic composition. But they are two different experiences of two different realities which then become one. There is the experience of our relationship to the reality of the world that we carry inside us in the form of memory, but there is also another kind of experience, that of the photographic image as a device capable of making us feel the presence of the real, from a print that contains none of the qualities of the real to which it refers. Between these two experiences an analogical relationship is established without our knowledge, and this creates a very strange state of mind, similar to a 'waking dream'. It is a kind of hypnosis, a diverting of the senses and the intellect, a gentle subjugation, by which reality presents itself in the guise of an emotion, or more precisely, a sensation.

A guess, then: is the sensation of discovering reality in a photograph related to the simple fact that the only reality activated in the image is our own reality? It is our memory of reality that confers upon the image its reality and this memory of reality is also a memory of ourselves.

Il y a du noir, du blanc, des contrastes et de la couleur, des formes. Et il se trouve que sans que l'on ait à fournir le moindre effort, sans même que l'on y engage la moindre volonté, une analogie s'établit entre notre expérience de la réalité et celle de cette composition photographique. Ce sont pourtant deux expériences différentes de deux réalités elles-mêmes absolument différentes qui se mêlent. Il y a évidemment celle de notre relation à la réalité du monde, que nous gardons en nous sous forme de mémoire, mais il y a aussi une forme d'expérience d'un tout autre genre, qui est celle de l'image photographique en tant que dispositif capable de nous amener à éprouver la présence du réel à partir d'une empreinte graphique qui n'a aucune des propriétés du réel auquel elle fait référence. Entre ces deux expériences se forme pourtant, à notre insu, une relation de type analogique qui nous plonge dans un état tout à fait étrange, semblable à celui dit du 'rêve éveillé'. C'est une sorte d'hypnose, d'état de détournement des sens et de l'intellect; une sorte de subjugation douce où la réalité se présente à nous sous la forme d'une émotion; d'une sensation plus exactement.

Un soupçon, alors: et si notre sensation de rencontrer la réalité dans une image photographique tenait au simple fait que la seule réalité qui soit mise en mouvement dans l'image, c'est notre propre réalité? Car c'est notre propre mémoire de la réalité qu'il faut ajouter à une image pour qu'elle devienne une image de la réalité. Et cette mémoire de la réalité est aussi une mémoire de nous-mêmes.

Until recently, we did not know everything of the world. A part escaped us, a part that we had not even measured. There remained a portion of the unknown that seemed of inexhaustible immensity, a dimension of the infinite that thwarted knowledge and nourished imagination and curiosity. In those days, Michel Vieuxchange sacrificed his life for a photograph of Smara, the forbidden city of occidental Sahara, and Savorgnan de Brazza discovered central Africa and its tribes by travelling up the Congo. Today, not only do we know practically everything that exists within the world, but also the limits of what we can expect, beyond which there is no use in dreaming of what, in any case, cannot exist.

But we can also see how the wilderness reconstitutes itself on the edges of that which evicts it. Wild species reappear in close proximity to motorways, airports, and the larger intersections of streets or railways, close to commercial areas on the periphery of the city. In the same way, the night is the sole expanse we can experience today, the only worldly infinite. If we take ten steps into darkness, on the eleventh step we begin to be truly lost. And at the fifteenth step we are returned to a state of ancestral, primeval dread.

Jusqu'à il y a peu, on ne savait pas tout du monde. Une partie, dont on ne mesurait même pas l'étendue, nous en échappait. Il restait une réserve d'inconnu qui semblait inépuisable d'immensité, une dimension de l'infini qui déjouait la connaissance et alimentait l'imaginaire et la curiosité. En ce temps-là, Michel Vieuxchange sacrifiait sa vie pour une photographie de Smara, la ville interdite du Sahara occidental, et Savorgnan de Brazza découvrait l'Afrique centrale et ses tribus en remontant le fleuve Congo. Aujourd'hui, nous connaissons pratiquement tout de ce qui existe sur terre, et nous connaissons aussi les limites de ce à quoi l'on peut s'attendre et au-delà desquelles il est inutile de rêver à ce qui, de toute façon, n'a aucune chance d'exister.

Mais on peut voir aussi comment la sauvagerie perdue se reconstitue au revers de cela même qui l'a délogée. Des espèces rustiques réapparaissent près des autoroutes, des aéroports, des grands échangeurs routiers ou ferroviaires, près des zones commerciales dans la périphérie des villes. De même, la nuit est la seule vastitude que l'on puisse s'offrir à présent, le seul infini terrestre encore possible. Simplement: si l'on fait dix pas dans la nuit sans éclairage, au onzième on commence à se perdre. Et au quinzième, on est ramené à un état de crainte ancestrale, préhistorique.

What we finally experience, our gaze resting on the visible, is that all these images are a kind of dialogue with the night. What is at stake is establishing a peace with the frightening shades of darkness. Perhaps this is why it was necessary to give the night its most dignified, respectful and favourable portrait.

If nothing moves, it is because we have reached a point of anamorphosis, from where the landscape unfolds all the power of its mystery and magnitude, where its components participate in the same epiphany, where everything finds its place in the final tableau. It is in the point of view given by the photograph to the viewer where everything achieves harmony; it is the location of the portrait—the place where we no longer expect anything to happen. What gives the impression of absolute inertia is this: there is no other place to go, and we are positioned as if at the perfect viewpoint. Exactitude of the portrait that seems to be the image of all that reveals itself, the serenity of nocturnal worlds encountered, of resolution, of the eternity of these landscapes of the night.

We think that we can discern a kind of gratitude from the landscape in these images. And perhaps it is true: the landscape seems to be looking at the photographer, as if in an interrupted dialogue, and it is her gaze that seems to be returned by the appeased and elegant austerity of the landscape. A landscape that you photograph with care, attention and love cannot harm you. The same principle applies to the night.

Ce que nous finissons par éprouver, le regard comme appuyé sur le visible, c'est que toutes ces images sont des formes de dialogues avec la nuit. Des dialogues dont l'enjeu est d'établir la paix avec les forces effrayantes des ténèbres. Pour cela, sans doute fallait-il offrir à la nuit son portrait le plus digne, le mieux fait à son avantage, le plus respectueux aussi.

Si plus rien ne bouge, c'est que nous sommes parvenus au point d'anamorphose, ce point à partir duquel le paysage déploie dans le regard toute la force de son mystère et de sa grandeur aussi, où tout ce qui le compose participe à une même épiphanie, où tout trouve sa juste place dans le tableau final. C'est l'endroit, celui prêté par la photographie au spectateur, où tout est en équilibre, c'est le lieu du portrait. L'endroit où il n'y a plus rien à attendre non plus. Ce qui donne l'impression d'une inertie absolue, c'est sans doute cela: il n'y a pas d'autre endroit où aller, nous sommes comme placés à l'exact point de vue. Exactitude du portrait qui semble être l'image que tout de ce qui se montre appelle, le point de sérénité des mondes nocturnes rencontrés, de résolution, d'éternité de ces paysages de la nuit.

Alors, on croit déceler dans ces images une forme de gratitude du paysage. Et sans doute est-ce vrai: le paysage semble lui-même regarder la photographe comme dans un dialogue ininterrompu, et c'est son regard à elle qui est comme renvoyé par l'austérité apaisée et élégante du paysage. Un paysage que vous photographiez avec attention, soin et amour ne peut pas vous faire de mal. Même chose pour la nuit et pour tout le reste.

What part does beauty play? It alone both reassures and disturbs. But I believe that the beauty of images, as of things, rests in establishing a distance from the real. Real beauty, the kind accepted generally as the beauty of a being or a thing, gives the impression that this being or this thing is not real. It is a kind of balancing between the excess of reality and the lack of reality. Here, beauty is exactly that which expresses and is responsible for the fear; it is paradoxically that which leads things to become menacing, like remote apparitions, ethereal, impossible to reconcile.

One would need to ask why the word 'beauty' seems more appropriate than any other to describe the feeling that arises from the viewing of images. If images were an exact reflection of the real, they would have no qualities particular to themselves, they would only become beautiful when it was understood that they were of a different nature. But in that case, what is it that is beautiful in a photographic image? If it were possible to comment on a photographic image by only considering its content without making reference to the reality that it describes, would we still be dealing with an assessment of a photographic image? Probably not, and it is difficult to imagine that anybody would be capable of doing so. If, however, we say that what is beautiful in the image is what the image can yield as an experience of the beautiful, without it necessarily being beautiful itself, then it becomes much more interesting. This would suggest that beauty is a perspective that unfolds from within and beyond the image, that it is an act of intuition and not contemplation. That it is a movement, a process, and not an attribute.

A quoi joue la beauté? Elle est, semble-t-il, a elle seule ce qui rassure et qui inquiète en même temps. Mais je crois que la beauté des images, comme des choses, c'est d'établir une distance avec le réel. La beauté réelle, je veux dire communément ressentie comme l'évidence de la beauté d'un être ou d'une chose, donne l'impression que cet être ou cette chose ne sont pas réels. C'est une sorte de mouvement de balancier entre l'excès de réalité et le manque de réalité. Ici, la beauté est exactement ce qui dit et assume la peur, elle est paradoxalement ce rend les choses menaçantes comme des apparitions inatteignables, altières, impossibles à se concilier.

Beauté des images…, il faudrait se demander pourquoi ce mot semble plus pratique qu'un autre pour désigner un sentiment qui se dégage de la vue des images. Si les images étaient exactement un reflet du réel, elles n'auraient aucune qualité propre. Elles ne deviennent belles que lorsqu'il est entendu qu'elles sont d'une autre nature.

Mais alors, qu'est-ce qui est beau dans une image photographique? S'il était possible à quiconque de se prononcer sur une photographie en tenant compte uniquement de son contenu et sans faire référence à la réalité qu'elle convoque, s'agirait-il encore d'un jugement sur l'image photographique? Certainement pas et, de toute façon, on imagine mal que quelqu'un en soit capable. Alors que si l'on dit que ce qui est beau dans l'image, c'est ce que l'image a réussi à susciter comme sentiment du beau sans qu'elle soit nécessairement belle elle-même, cela devient bien plus intéressant. Cela voudrait dire que la beauté est une perspective qui se déploie en deçà et au-delà de l'image, qu'elle est une intuition et non une contemplation. Qu'elle est un mouvement, un processus et non un attribut.

Actually, realism can only be poetic. He who seeks to evoke reality can only do so by attempting to faithfully restore the relationship that we have to the real by enabling an encounter with the reality of the poetic ordinary.

We cannot contemplate a landscape, a sky, streets, animals, people, or the world without affect. Nobody can see without affect, that is, without hate, anger, affection, rejection, love, desire, contentment or discontentment —without emotion in a general way. There are people from whom we instinctively keep a distance and others to whom we are drawn. This feeling lasts one or two seconds and is not of prime importance. We are not about to spend our lives with people we pass in the street, but this doesn't prevent each face, each silhouette, from simultaneously being nothing but a shape and an ensemble of affects. In the same way, the real has no face outside the poetic experience that we make of it. To our eyes there is only exact representation, when what is shown gives rise to the recognition of the affects that we associate with it, even if it bears little resemblance to reality.

Au fond, le réalisme ne peut être que lyrique. Celui qui cherche à évoquer la réalité ne peut le faire qu'en tâchant de restituer la réalité du rapport lyrique que nous entretenons avec la réalité, qu'en donnant à éprouver la réalité du lyrisme ordinaire en quelque sorte.

On ne peut pas regarder les paysages, le ciel, les rues, les animaux, les gens, le monde sans affect. Personne ne peut regarder sans affect. Sans affect, cela veut dire sans haine, sans colère, sans affection, sans rejet, sans amour, sans désir, sans contentement ou sans mécontentement, sans émotion d'une manière générale. Il y a des gens dont on se tient spontanément à distance et d'autres, au contraire, dont on se sent proche, intime, et qui nous inspirent confiance sans qu'on les connaisse pour autant. Cela dure une ou deux secondes et ce n'est pas fondamental. On ne va pas passer notre vie avec les gens que l'on voit passer dans la rue, mais cela n'empêche pas que chaque visage, chaque silhouette est, en même temps qu'une forme, un ensemble d'affects.

De même qu'il n'y a pas, à nos yeux, de visage réel en dehors de l'expérience lyrique que nous en faisons, il n'y a de représentation exacte de la réalité que lorsque ce qui nous est présenté, quitte à ce que cela soit formellement peu ressemblant, suscite la reconnaissance en nous des affects que nous lui associons.

The sky, the moor, the trees, the water, the sand, the snow; all of it seems so artificial. Nobody really sees the world this way: it is the process applied—the luminous sweep of a flashlight over a long exposure—that registers on the film, producing what we see here. Undeniably it remains some sky, a sky, the sky, just as it remains the moor, the trees, the water, the sand, the snow … by manipulating the appearance of the real, by producing colours and densities beyond common experience—those of a forced lyricism that touches on the supernatural—the visible is relieved of its documentary weight. Strangely, it gains in drama what it loses in naturalism; it subjectifies itself and becomes closer to photographic portraiture. Portraits of the night.

Le ciel, la lande, des arbres, l'eau, le sable, la neige; tout de cela semble irréel. Nul, en effet, ne peut voir de cette façon; c'est la technique employée –un balayage lumineux avec une torche pendant un long temps de pause–qui conduit à ce que vienne s'enregistrer sur le film ce que nous en voyons. Mais cela reste indéniablement du ciel, un ciel, le ciel, comme cela reste la lande, des arbres, l'eau, le sable, la neige…. En artificialisant plus encore les apparences du réel, en amenant le support à produire des couleurs et des densités qui ne sont pas celles de l'expérience commune–ce sont celles d'un lyrisme appuyé, forcé, jusqu'à frôler le surna-turel–le visible se trouve comme débarrassé de tout son poids de curiosité documentaire. Etrangement, il gagne en dramaturgie ce qu'il abandonne en naturalisme, il se subjectivise, se rapproche de la photographie de portrait. Des portraits de la nuit.

It is like a song that repeats with the same slow rhythm, with variations of tone, timbre and motif. The locations change, as do the objects and the proportions of the sky to the ground. But everything seems to be said in a single way. It is the same night that is transported from England to Scotland and Canada, a night that becomes in itself a location. It is a seesawing between sight and scrutiny, between reality and fiction that gives these worlds their haunting strangeness. There is the same to and fro between the slow world of sleep and the restless world of waking.

Very little is visible. We do not believe the reality of what we see. We do not believe in the stillness, the emptiness, the calm, the blackness of night. Neither have we ever truly believed that the world's wilderness that seems to be tamed during the day really was; here everything seems chaotic, on the verge of becoming archaic. The primeval world of time's night.

C'est comme une litanie, comme un chant qui se répète sur un même rythme lent, avec ses variations de tonalité, de timbre, de motif. Les lieux changent, comme changent aussi les objets, les proportions de sol et de ciel. Mais tout semble dit d'une même façon. C'est bel et bien la même nuit qui se transporte de l'Angleterre vers l'Ecosse et le Canada ; une même nuit qui devient à elle seule un lieu: le lieu de la nuit. C'est un même jeu de va et vient et d'indécision entre vision et observation, entre réalité et fiction, qui donne à ces mondes leur lancinante étrangeté. Une même indécidabilité aussi entre le monde lent du sommeil et celui agité de la veille.

On voit peu. On ne croit pas en la réalité de ce que l'on voit. On ne croit pas à l'inertie, au vide, au calme, au noir de la nuit. Nous n'avons jamais vraiment cru non plus que ce qui, de la sauvagerie du monde, paraissait domestiqué le jour l'était réellement ; ici, tout semble à nouveau hors de contrôle, tout semble sur le point de revenir à l'état archaïque. Monde primitif, monde de la nuit des temps.

The motion in the sky and on the water has come
to shape a solid substance, as have the earth, the grass,
the water, the sand or the blocks of ice. This results
in a flattening out, in various densities of mass; the temps
événémentiel (eventful time), that of movement, has not
been suppressed, but it has been stretched like a thick
paste. It has taken on a solid aspect. And these masses
of time and movement that have become the substance
of the image no longer have a time of their own, neither
past, nor present, nor future. They have no history.

Everything in these nocturnal worlds seems to be
made of the same substance, so that the whole appears
like a play of variations in tone and density—one
homogenous world. 'Does the universe originate from
a single element?' asked the philosopher and
mathematician Thales of Milet.

Les mouvements dans le ciel et sur l'eau
ont fini par former une matière compacte,
au même titre que le sol, l'herbe, l'eau,
le sable ou les blocs de glace. Cela donne
des à-plats, des masses plus ou moins
denses; le temps événementiel, celui du
mouvement, n'a pas été supprimé, mais
il a été totalement étiré, comme une pâte
épaisse. Il a pris l'allure de masses
solides. Et ces masses de temps et de
mouvement, devenus matières solides dans
l'image, n'ont pas de temps propre, pas
de passé, pas de présent ni de futur.
Elles n'ont pas d'histoire.

Ainsi, tout de ces mondes nocturnes
semble fait de la même matière, et l'ensemble apparaît comme une jeu de variations de teintes et de densités. Un même
monde. 'L'univers provient-il d'un seul
élément?' demandait le philosophe et
mathématicien Thalès de Milet.

These images are not intended to suspend time; they are images of a world without duration that seems to refer only to itself. They are images made of the movements of light, of a kind of hypnotic eternity that time seems to have abandoned near the great expanses of the north, the ice, the limit of the horizon.

And we are at a threshold where nothing occurs any longer. Close to immersion in a time become material, without duration and without measure, a time that no longer passes, that stops here.

Ces images ne sont pas venues suspendre le temps, elles sont les images d'un monde sans durée, comme exclusivement référé à lui-même. Elles sont les images, faites avec les mouvements de la lumière, d'une sorte d'éternité hypnotique que le temps semble avoir déserté près des grandes plages du Nord, près du gel, juste aux bords des horizons.

Et nous sommes au seuil de ce que plus rien n'arrive. Tout près de l'immersion dans un temps devenu matériel, sans durée et sans mesure, d'un temps qui ne passe plus, qui s'est arrêté là.

Published by photoNORTH, 2004
www.photo-north.net

ISBN 0-9546001-1-8

Book design by Praliné
Typeset in Bitstream Cooper & Schreibmaschinenschrift
Printed in edition of 1000 by BAS printers
Printed and bound in UK

I would like to thank the people that have been
supporting me throughout the work on this book; the
publisher Alessandro Vincentelli for his patience and
support and for giving me the time to find the right form
for this book, the designers David Tanguy and Regine
Stefan for their creative input. Lynne Marsh, Phillip
Warnell, Russell Martin, Richard Squires, Stéphanie
Nava for advice and help. I would like to thank Thomas
Evans and Alec Finlay for their work on the translation
and Peter Sharpe and Judith King for their continuing
support of my practice. A very special thanks goes out
to Alec Finlay who has given me invaluable advice
throughout all stages of the work on this publication.

This publication has been
supported by:

photoNORTH

UNIVERSITY OF
NEWCASTLE UPON TYNE

Project Part-Financed
by the European Union
European Regional
Development Fund

The Berwick Gymnasium Art Gallery
Fellowship, Art and Architecture
at Kielder, Vermont Studio Centre,
Café Gallery Projects and the
Queen's Hall Arts Centre, Hexham